Florence Desachy

LOS CUIDADOS DEL PERRO DÍA A DÍA

EDITORIAL DE VECCHI

ADVERTENCIA

Este libro es sólo una guía introductoria de la raza. Para criar un perro es necesario conocer a fondo su temperamento y tener nociones generales de psicología y comportamiento animal, que no están contenidas en la presente obra. Se advierte que si se orienta mal a un perro, este puede ser peligroso.
Por otra parte se recuerda que, lógicamente, sólo un profesional acreditado puede adiestrar a un perro y que cualquier intento de hacerlo por cuenta propia constituye un grave error. Es obvio que bajo ningún concepto debe permitirse que los niños jueguen con un perro si el propietario no está presente.

El autor agradece la cesión de las fotografías de parásitos de la pág. 57, a Nicolas Dumoulin y al laboratorio BAYER PHARMA.

Traducción de Gustau Raluy Bruguera.

Fotografías de la cubierta de Francais/Cogis.

Fotografías del interior del autor.

© Editorial De Vecchi, S. A. U. 2001
Consell de Cent, 357. 08007 BARCELONA
Depósito Legal: B. 31.466-2001
ISBN: 84-315-2463-4

ÍNDICE

PRÓLOGO

L a higiene está constituida por un conjunto de reglas que permiten conservar la salud siempre y cuando se actúe con sentido común y no se caiga en excesos. Hay que tener en cuenta que el perro requiere menos cuidados que un ser humano, pues ni su forma de vida, ni la alimentación, ni la resistencia a la acción de determinados microorganismos son iguales.

¿Cómo podemos velar por la salud del perro?

La higiene va mucho más allá de la limpieza corporal: afecta a la alimentación, al espacio vital, a los lugares en donde el perro debe hacer sus necesidades fisiológicas y a los lugares por donde pasea.

La alimentación es una de las cuestiones más peliagudas. Muchos propietarios se pierden ante la vasta gama de alimentos para perros que puede adquirirse hoy en día, ya sea en forma de pienso seco o de alimento húmedo enlatado.

No por ello hay que desatender la higiene corporal. Son imprescindibles el control y el mantenimiento de la piel, del pelo y de las uñas. No olvidemos que el principal motivo de las visitas veterinarias son los problemas dermatológicos. Por otra parte, los ojos, las orejas y los dientes deben inspeccionarse periódicamente y necesitan atenciones permanentes por razones diversas.

Las peleas, los paseos por el bosque, la contaminación, etc., comportan un riesgo elevado para los ojos.

El conducto auditivo del perro es profundo y no tiene salida. Los cuerpos extraños, las infecciones y las parasitosis (en particular en los perros con orejas caídas) derivan en enfermedad debido a la falta de drenaje del conducto.

El hocico del perro es un medio húmedo (está impregnado de saliva), cálido, rico en células que defienden el organismo y rico en bacterias (700 millones por mm^3 de saliva). Por lo tanto, el equilibrio es inestable. Es necesario controlar el estado de los dientes, concretamente la formación de depósitos de sarro y el estado de las encías.

En este libro se proporcionan las pautas necesarias para asegurar una vida sana y feliz a nuestro perro.

A. GRIMBERG
Veterinario especialista en odontoestomatología

Un perro sano es un perro feliz. (© APL)

INTRODUCCIÓN

L os cuidados del manto del perro presentan diferencias sustanciales según las razas. Un bobtail requiere más atención que un perro de pelo corto, por la longitud y espesor del pelo.

Esto no significa, no obstante, que haya razas de perros que no requieran un cuidado exhaustivo de los dientes o las orejas.

La higiene del perro tiene tres objetivos:

— el primero es proteger a las personas, niños y adultos próximos al animal de las afecciones que les podría transmitir el perro, pues algunos parásitos o algunas afecciones de la piel pueden transmitirse al hombre;
— el segundo es observar regularmente al perro para poder detectar rápidamente una anomalía que podría generar síntomas más graves;
— en último lugar, el buen mantenimiento del perro nos permitirá garantizarle la máxima longevidad y una vejez feliz.

Este libro propone, para cada parte del cuerpo, una breve descripción anatómica para entender su funcionamiento, los cuidados que necesita y las enfermedades que pueden derivarse de una falta de higiene.

Disponer de un botiquín completo es importante, sobre todo cuando se tienen cachorros. (© FD)

MATERIAL
NECESARIO

E l propietario de un perro necesita un determinado material (tijeras, vendas, pinzas, medicamentos, etc.), lo cual no significa en modo alguno que pueda prescindir del veterinario.

El botiquín

Es útil tener en casa una serie de instrumentos y de medicamentos de primeros auxilios. El botiquín que proponemos consta del siguiente material:

Material indispensable

• Gasas.

• Alcohol: en las farmacias hay gasas impregnadas de alcohol listas para usar.

• Tintura de yodo o alcohol yodado.

• Esparadrapo.

• Vendas.

• Agua oxigenada.

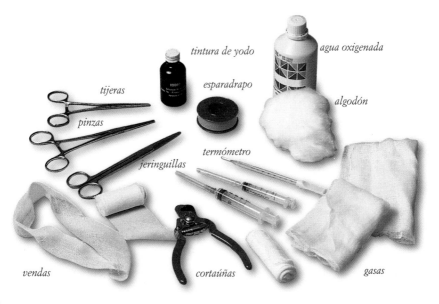

tintura de yodo

agua oxigenada

tijeras

esparadrapo

algodón

pinzas

termómetro

jeringuillas

vendas

cortaúñas

gasas

9

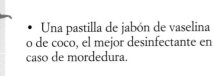

- Una pastilla de jabón de vaselina o de coco, el mejor desinfectante en caso de mordedura.

- Aerosol desinfectante.

- Suero para limpiar los ojos.

- Pomada antibiótica.

Los instrumentos

- Unas pinzas de depilar para retirar espigas, garrapatas, etc.

- Un cortaúñas.

- Jeringuillas de 2 ml para administrar medicamentos líquidos.

- Tijeras (pequeñas y romas).

- Una tablilla (para un posible entablillado en caso de lesión en alguna extremidad).

Medicamentos complementarios (si se vive lejos de núcleos habitados)

- Un frasco de éter para las garrapatas (con receta veterinaria).

- Protector intestinal para la diarrea.

- Una cajetilla de antibióticos.

- Un jarabe antiemético.

El equipo antiparasitario

- Una bomba antiparasitaria o *fogger*.

- Un vermífugo.

- Una pomada para la sarna auricular.

- Un repelente contra los ácaros.

Los medicamentos

Clasificaremos los productos en función de las diferentes afecciones del perro.

Los problemas cutáneos

Los antisépticos son indispensables: alcohol, yodo, alcohol yodado, azul de metileno, agua oxigenada, etc. A la hora de administrarlos habrá que tener cuidado, pues muchos de estos productos son irritantes en solución pura. La dilución dependerá siempre del producto y también del uso específico de este.

El jabón tradicional es el antiséptico más simple. Si se utiliza correctamente, es muy eficaz para desinfectar todo tipo de heridas. Una herida infectada se limpia con jabón y se enjuaga con abundante agua. A continuación se aplica un antiséptico, alcohol o tintura de yodo. El agua oxigenada sirve para dejar la herida «presentable», ya que permite eliminar los restos de sangre.

Los aerosoles antibióticos se utilizan para evitar las infecciones locales. Para todos los demás problemas cutáneos, necesitaremos un producto contra la sarna a base de lindano, un antimicótico para la tiña, que puede encontrarse en aerosol y en comprimidos.

Las lociones antiinflamatorias sirven para luchar contra las alergias y las dermatitis.

Los trastornos digestivos

Los perros tienen diarrea con relativa frecuencia. Para combatirla necesitaremos:

— un protector gástrico en forma de polvo o gel;
— un antiespasmódico para contener los movimientos del intestino;
— un antibiótico que actúe contra los gérmenes digestivos.

El producto adecuado para el estreñimiento es el aceite de parafina. Es importante no olvidar consultar al veterinario antes de administrar estos medicamentos.

Las infecciones

Las infecciones se combaten con antibióticos. Los hay de muchos tipos, en función de los órganos afectados (reproductor, pulmonar, etc.). Para adquirirlos hace falta receta del veterinario.

¿Cómo se administran los medicamentos a un perro?

Las reglas básicas

Para administrar una medicación al perro no intentemos sorprenderle, ya que el animal no se dejaría engañar dos veces. Una manera de hacerlo es sujetarlo con mano firme por la piel del cuello. Otra forma consiste en levantarle el labio, manteniendo, como antes, la cabeza un poco hacia atrás.

En cualquier caso, conviene encontrar la forma que cada animal acepta mejor: azúcar, en polvo, gotas, pasta, comprimidos.

Siempre hay que respetar la posología de cada medicamento recomendada para el peso de nuestro perro, así como también la duración del tratamiento.

No conviene obligar al animal a tragar un medicamento, porque podría engañarnos y fingir que lo engulle. Es preferible mezclarlo con un poco de su comida favorita.

Si saliva más de lo habitual después de tomar un medicamento, no debemos alarmarnos.

✔ *Comprimidos*. Colocar una mano en la mandíbula superior y comprimir un poco los labios contra los dientes para que abra la boca. Con la otra mano le introduciremos el comprimido en la base de la lengua al fondo. Seguidamente le cerramos la boca y le masajeamos suavemente la garganta.

Los comprimidos también pueden embutirse en un trozo de comida o queso. No olvidemos comprobar que el perro no haya conservado el comprimido en la boca.

✔ *Jarabes y soluciones orales*. Con jeringuilla: se estira el labio inferior en un lado de la boca y se deposita el líquido en pequeñas cantidades en la comisura labial, para evitar que el perro muerda la jeringuilla.

No hay que inclinar hacia atrás la cabeza porque la medicación podría ir hacia las vías respiratorias.

Para los cachorros es aconsejable utilizar un producto presentado en gotas, ya que estas pueden mezclarse fácilmente con la comida.

Cachorro de alaskan malamute. (© Francais/Cogis)

Golden retriever. (© Francais/Cogis)

Cachorro shetland. (© Francais/Cogis)

✔ *Los azucarillos.* Es una presentación muy útil para los perros un poco difíciles, ya que se les puede administrar el medicamento sin ningún problema. En este formato podemos encontrar antiparasitarios, contraceptivos, productos digestivos, etc. Este término describe el tipo de presentación; en realidad estos productos no contienen azúcar, y no son en absoluto perjudiciales para el perro.

LA ALIMENTACIÓN

L a primera norma higiénica para el perro es la alimentación. Un perro al que se le da una dieta equilibrada es un perro sano.

La alimentación es un aspecto fundamental que condiciona directamente la salud y el equilibrio físico.

Por lo tanto, es importante conocer las pautas alimentarias y la forma de utilizar los productos complementarios, como por ejemplo las vitaminas.

La alimentación del perro

Elección del tipo de alimentación

Podemos elegir entre la comida casera (el tradicional «rancho») y los alimentos elaborados industrialmente (en forma de pienso seco o de comida enlatada). Actualmente, los alimentos *premium* son los más completos.

LA CANTIDAD

Cuando se utiliza alimento industrial, hay que respetar escrupulosamente la cantidad indicada por el fabricante para el peso y el tipo de perro. Cuando se le da comida elaborada en casa, las dosis son de 10 g por kilo de peso para legumbres, arroz, pasta y carne.

LAS DIETAS ESPECIALES

Hay alimentos dietéticos para perros con una afección concreta, pero también se puede preparar en casa algún exquisito manjar de régimen:

— para el perro obeso: pescado poco graso (evítese el atún), mezclado con hojas de lechuga cocida o espinacas;
— para el perro urémico: suprimiremos la carne roja en favor del pollo, el buey o el pavo;
— para el perro que padece cálculos: optaremos por una alimentación dietética preparada, puesto que es muy difícil seguir un régimen a base de comida casera.

El cambio de alimentación

El cambio de régimen alimentario requiere un periodo de transición de una semana.

13

La denominación *premium*

Cada vez está más extendida. Son alimentos de gama alta que gozan de una gran aceptación. Están perfectamente tolerados por los animales frágiles desde el punto de vista digestivo, ya que todos los ingredientes (arroz, pollo, cordero, etc.) son perfectamente asimilables y de alta calidad alimentaria. Las proteínas, provenientes esencialmente de la carne de ave y de otras carnes fáciles de asimilar, tienen un alto valor energético. Los perros encuentran estos alimentos muy sabrosos. Existe un alimento *premium* específico para cada periodo vital del perro, comercializados con diferentes nombres según el fabricante.

Racionamiento

La cantidad de alimento que se le debe dar al perro se calcula

> **ALIMENTOS *PREMIUM***
>
> • Cachorro: *puppy* y crecimiento.
> • Perra gestante y en cría: gestación, lactación y, según las marcas, también para crecimiento.
> • Perros deportistas: *premium* activo, alta energía.
> • Perros obesos: *light*.
> • Perros ancianos: *sénior*.

teniendo en cuenta una serie de parámetros: peso, edad, tamaño de la raza y actividad diaria. Si se prepara la comida en casa, 30 g de alimento por kilo y día en la edad adulta, constituido por 10 g de carne, 10 g de arroz o pasta y 10 g de legumbres. Para un braco de 35 kg, por ejemplo, la ración será de 350 g de carne, 350 g de arroz o, si se prefiere, de pasta y 350 g de legumbres al día.

La comida, las legumbres y las féculas garantizan el porte energético necesario para el desarrollo del perro. Existe una amplia gama de alimentos secos de excelente calidad. (Fotografía de P. Visintini)

Durante el crecimiento las cantidades cambian:

— de dos (edad del destete) a cuatro meses: 75 g de alimento por kilo y día, repartidos en tres ingestas, constituido por 25 g de arroz, 25 g de carne y 25 g de legumbres;
— a los cuatro meses: 60 g por kilo y día, repartidos en dos tomas;
— a los seis meses: 50 g por kilo y día;
— de seis a ocho meses: 45 g por kilo y día.

Siempre conviene respetar la proporción de un tercio de arroz, un tercio de carne y un tercio de legumbres.
Si se utiliza alimentación industrial o dietética, la dosificación se indica en las instrucciones de uso, y habrá que respetarla escrupulosamente porque son productos completos que no necesitan ningún otro complemento, salvo el calcio durante el periodo de crecimiento.

Los complementos alimentarios

En el mercado encontraremos buenos complementos y vitaminas.
Los complementos alimentarios son productos (minerales y vitaminas) que se añaden a la dieta durante un periodo corto de la vida del animal en función de unas necesidades específicas.
A lo largo de toda su vida, los perros necesitan suplementos nutricionales adaptados a su edad y a sus necesidades fisiológicas: crecimiento, gestación, lactancia, pelo sin brillo, actividad deportiva o fatiga.

Lo importante es que el producto se ajuste a las necesidades del animal. No son necesarios si se administra la dieta *premium* adecuada.

El crecimiento

El aporte de vitaminas y minerales es indispensable para garantizar la correcta mineralización ósea del cachorro. Algunos cachorros de razas grandes crecen en un año lo mismo proporcionalmente que un ser humano en quince. En menos de diez días, el cachorro dobla su peso. En esta etapa, el complemento vitamínico y mineral (especialmente calcio) es indispensable. Al finalizar el crecimiento, entre los ocho y los doce meses, finaliza el aporte del suplemento. La presentación en polvo es la más práctica.

Gestación y lactancia

Durante estos periodos, el organismo de la madre destina todo el calcio primero a la formación del esqueleto de los cachorros, y posteriormente a la fabricación de leche. Los complementos de crecimiento también sirven para perras gestantes o en periodo de lactancia; son muy ricos en oligoelementos y en minerales. El suplemento se iniciará a partir del primer día de lactancia hasta el destete (seis semanas).

Procesos de recuperación

No olvidemos a los animales convalecientes o ancianos.

LA LECHE ARTIFICIAL

• **¿Qué tipo de leche?**

La leche de perra es mucho más grasa que la de vaca. Por lo tanto, no es posible sustituir la leche de perra por leche ordinaria.

La lactancia artificial es obligatoria hasta las seis semanas en caso de fallecimiento de la madre o si no está en condiciones de alimentar a la prole.

Se puede dar a los cachorros 600 g de leche entera de vaca, 10 huevos, y 20 g de polvo de hueso, o bien 800 g de leche de vaca, 20 g de crema fresca, una yema de huevo y 6 g de polvo de hueso. La solución más simple es un vaso de leche entera de vaca, un vaso de crema fresca y una yema de huevo.

• **¿Qué cantidad?**

— Los primeros dos días: ocho tomas diarias.
— Del tercer al séptimo día: seis tomas diarias.
— Del octavo al decimosexto día: cinco tomas diarias.
— Del decimosexto día hasta el destete: cuatro tomas al día serán suficientes.

• **¿Con qué frecuencia?**

Los cachorros beben poco cada vez y, si los atiborramos, tendrán diarrea. Lo idóneo es disminuir el número de tomas diarias cada semana. Empezaremos con ocho, siete, y así sucesivamente.

Al principio daremos de mamar a los cachorros cada dos horas, con una interrupción más larga entre las once de la noche y las seis de la madrugada, que los pequeños soportarán sin problemas.

• **¿Cómo se administra?**

La leche artificial se prepara con agua hervida y posteriormente enfriada. Se da a la misma temperatura que el organismo del cachorro, es decir a 38°.

La forma más fácil es darla con biberón, sin que la toma se prolongue más de un cuarto de hora. Los cachorros son muy tragones, y por lo tanto deberemos obligarlos a efectuar unas pausas.

En resumen, para alimentar a los cachorros necesitaremos una leche fácilmente digerible, que cubra sus necesidades nutricionales, y lo haremos en un lugar tranquilo, cálido y emocionalmente próximo al que proporciona la madre a sus hijos.

Hay unos complementos que refuerzan el tono general. Cada cuatro meses se preverá uno de tratamiento.

Para los perros deportistas, antes del inicio de las pruebas o durante la temporada de caza, es útil administrarles un complemento para que el organismo se adapte al esfuerzo físico.

El suplemento debe empezar a darse un mes antes del periodo de ejercicio intensivo. Estos productos combaten la fatiga, porque gracias al aporte suplementario de calorías se retrasa la hipoglucemia. En los animales que reciben este tipo de complementos se constata un mejor rendimiento y una mejor recuperación.

La alimentación dietética

¿Qué se entiende por alimentación dietética? En el lenguaje corriente, este término designa los alimentos adecuados para situaciones fisiológicas específicas (cachorro, gestación, lactancia, etc.). En cambio, en el lenguaje médico, designa unos alimentos con objetivos especiales, es decir, destinados a animales que presentan una enfermedad particular (crisis de urea, insuficiencia hepática, pancreática, etc.). Muchas veces, el término *dietético* se utiliza con ambos sentidos: alimentación con objetivos especiales y para periodos fisiológicos.

Los cuidados del manto

Los complementos para el pelo son a base de vitaminas específicas. Los tratamientos duran de diez a quince días, cada dos meses.

Normalmente el uso de cada producto está especificado claramente en la etiqueta y las instrucciones de producto.

ELECCIÓN DEL PRODUCTO

- **La presentación:**
  — productos en polvo: pueden mezclarse con la comida, solución especialmente útil para los perros difíciles;
  — las gotas: son fáciles de usar para los cachorros; se introducen por la comisura labial, con una jeringuilla sin aguja, si fuera necesario;
  — los comprimidos: se mezclan con la comida.

- **La duración de los tratamientos:**
  — un mes como mínimo para el pelo, el tono general y las convalecencias;
  — hasta 8 o 10 meses durante el crecimiento;
  — durante todo el periodo de gravidez y de cría;
  — un mes seguido, tres o cuatro veces al año para los animales ancianos.

La obesidad

Una alimentación sana y en cantidad normal es una de las claves de una buena salud. Uno de los principales problemas derivados de una mala alimentación es la obesidad, cada vez más frecuente en la especie canina y cuyas consecuencias, sin ser inmediatas, acaban siendo dramáticas.

El peso justo

El perro no es un gato, esto salta a la vista. Pero, entonces, ¿no es incoherente alimentar al perro como si fuera un gato, simplemente porque es pequeño? Esto ocurre por falta de información. El gato no tiene las mismas necesidades que el perro. La alimentación del perro es muy específica.

En nuestra sociedad, la enfermedad nutricional más frecuente es la obesidad, y no las enfermedades generadas por carencias alimentarias.

¿Cómo se calcula el peso ideal del perro? ¿Cuándo se puede decir que un animal es obeso? Para responder a esta pregunta hace falta saber que las necesidades energéticas de un perro dependen de varios factores; para realizar un cálculo exacto hay que tener en cuenta la etapa de la vida (cachorro, gestación, lactancia, etc.), el grado de actividad, el estado de salud y el tamaño del perro.

El estándar de cada raza determina el peso que han de tener los ejemplares machos y hembras.

Para pesar al perro primero deberá pesarse su dueño solo, y

luego repetir la operación con el animal en brazos. La diferencia nos indicará el peso del perro.

La obesidad obedece a un aporte energético excesivo que se almacena en el cuerpo en forma de grasa. Se considera que hay sobrepeso cuando el peso del perro es superior al 10 % del que se considera ideal.

La obesidad está considerada una enfermedad porque origina diversas enfermedades y repercute en la duración de la vida de los animales.

Orígenes y factores que condicionan la obesidad

¿Cómo se origina la obesidad? El cachorro no nace obeso; simplemente hay cachorros más fuertes que otros. La obesidad es muy fácil de definir: el perro consume más energía de la que gasta. Pero el sobrepeso no se debe exclusivamente al hecho de comer en exceso. La obesidad es una enfermedad real causada por una modificación del metabolismo.

Hay una serie de factores causantes que quizá parezcan superfluos. Por ejemplo, dos animales comen más cuando están juntos de lo que comerían por separado. En tal caso, a la hora de comer habrá que separar a los perros de una misma familia. Otro ejemplo es una mala costumbre del propietario: el perro se acaba la ración y el propietario, contento, le llena de nuevo el plato. Además, la comida para perros que se fabrica hoy en día se adapta cada vez mejor a las necesidades nutricionales del perro, y a la vez tiene sabores más apetitosos. Esto obliga al dueño a respetar escrupulosamente las instrucciones de uso. Al hacer el cálculo de la energía que necesita el perro, no hay que olvidar las golosinas que se le dan fuera de horas. Un perro sano no es forzosamente un perro que engulle todo lo que se le da y que come mucho.

¿Qué ocurre con la esterilización?

¿La esterilización predispone a la obesidad? Sí y no. Un dato constatable es que hay el doble de perras obesas esterilizadas que no esterilizadas, pero lo que ocurre es que a las primeras no se les modifica la alimentación después de ser operadas. Todo parece indicar que el gasto energético de un perro esterilizado, macho o hembra, es menor que el de un animal sin esterilizar. Por consiguiente la dieta debe adaptarse. Tengamos en cuenta que la ausencia de hormonas sexuales consiguiente a la castración disminuye la cantidad de energía utilizada.

Obeso y enfermo

El aspecto estético puede ser la causa de que el propietario decida imponer una dieta adelgazante a su perro. Pero, aunque no nos importe el aspecto externo, también hay que recurrir a la dieta, ya que la obesidad puede originar varias enfermedades.

La obesidad provoca la disminución de la esperanza de vida y aumenta el riesgo de cáncer en un 50 %, según un estudio reciente.

es de una gran ayuda, incluso aunque no se haya utilizado anteriormente. Existen dietas específicas para hacer adelgazar al perro, que permiten alimentarlo de forma equilibrada, con comida apetitosa y poco energética. Para el cambio de alimentación se requiere una transición de una semana para evitar diarreas. Este nuevo alimento se introduce progresivamente en la comida habitual.

Al igual que en el hombre, una alimentación desequilibrada, rica en azúcares puede ser la causa de la obesidad del perro. (Fotografía de P. Visintini)

También provoca accidentes vasculares y dificulta la respiración. El sobrepeso puede ser la causa también de problemas articulares. El animal obeso es más vulnerable a las infecciones y tiene una sensibilidad a los medicamentos distinta. En definitiva, necesita una atención suplementaria.

Los remedios

Lógicamente, la alimentación es el primer factor que deberá ser modificado. El dueño ha de darse cuenta de que el adelgazamiento del perro es una necesidad. El apetito es un signo de buena salud, aunque un perro que come constantemente no puede considerarse sano.

Es de prever que el perro aceptará mal la restricción y hará uso de todo su poder de persuasión. No obstante, el dueño no ha de ceder. Todo régimen requiere un cierto apoyo, y en este caso la alimentación industrial

---

LA OBESIDAD

• **Factores que favorecen la obesidad:**
— presencia de dos animales durante la comida;
— aumento de las raciones;
— la esterilización;
— la falta de ejercicio.

• **Consecuencias de la obesidad:**
— problemas locomotores;
— afecciones cardiacas;
— riesgo de diabetes;
— menor longevidad.

• **Resistir en caso de régimen estricto:**
— plantearemos un programa a largo plazo (dos o tres meses);
— seguiremos el consejo del veterinario;
— haremos un balance por meses;
— toda la familia respetará las consignas;
— elegiremos un alimento de confianza;
— si cedemos ante la insistencia del perro, podemos dejarlo una temporada en casa de algún amigo que acepte hacerse cargo del animal, y que seguramente se mostrará menos sensible a sus lamentaciones.

Las razas en las que el pelo puede tapar los ojos, como es el caso del westie, necesitan un arreglo concienzudo. (© FD)

CUIDADOS DE LOS OJOS

L a alimentación es uno de los aspectos principales que se deben cuidar, pero también hay que controlar el buen funcionamiento de todos los órganos.

Los ojos de los perros son muy sensibles, independientemente de la raza, y necesitan una atención diaria. En las razas pequeñas, los conductos lagrimales se obstruyen frecuentemente, y como consecuencia se produce un derrame de lágrima por la comisura del ojo que provoca la decoloración del pelo circundante.

Estructura y funcionamiento del ojo

• La *córnea* es la primera membrana que está en contacto con el aire. En caso de irritación se producirá una queratitis.

• La *conjuntiva* es la mucosa que recubre el interior de los párpados. Si se inflama se producirá una conjuntivitis.

• El *cristalino*, una lente transparente, puede volverse opaco y generar una catarata.

• El *iris* da el color al ojo.

• En la *retina*, la parte más interna del ojo, se forman las imágenes.

• Los *canales lagrimales* van desde el ángulo interno del ojo hasta las fosas nasales. El perro tiene un tercer párpado. La actuación del propietario se limitará a la limpieza externa, sin tocar la córnea, la conjuntiva ni las comisuras de los ojos.

La limpieza

Los únicos productos que pueden utilizarse son lociones oculares específicas para perros o suero fisiológico (los frascos de un solo uso son muy prácticos para el transporte y la conservación). Para evitar el efecto antiestético de la lágrima conviene limpiar los ojos cada día con una gasa humedecida con un antiséptico ocular; es desaconsejable hacerlo con algodón porque deja filamentos.

Para limpiar el ojo se procede desde el ángulo interno (ángulo de la nariz) hasta el ángulo externo, para no llevar la suciedad hacia el interior del ojo.

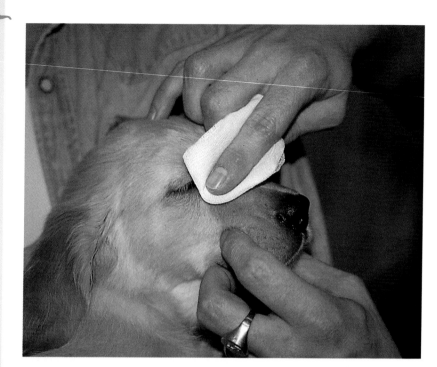

El ojo se limpia con una gasa, siempre desde dentro hacia fuera

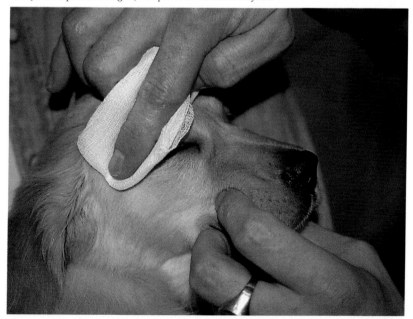

En caso de infección (conjuntivitis), antes de aplicar el producto específico es conveniente limpiar el ojo: la limpieza previa acentuará la acción del principio activo del medicamento. La suciedad disminuye la eficacia de un colirio.

Utilizando un producto especialmente concebido para perros descartaremos indudablemente cualquier riesgo de irritación.

El derrame patológico

Cualquier secreción del ojo que no sea clara sino purulenta es motivo de consulta al veterinario. El líquido lagrimal se produce permanentemente, pero sin derrame porque es evacuado por el conducto lagrimal hacia la trufa a través de las fosas nasales.

Si el derrame es claro, normalmente se trata de una afección de los conductos lagrimales, especialmente en los perros de razas pequeñas.

La obstrucción de los conductos

El aparato lagrimal está constituido por las glándulas y los conductos lagrimales. La afección más corriente es la obturación de los conductos, y más raramente una infección. Es frecuente en algunos perros de raza pequeña: caniche, yorkshire, bichón, etc.

El derrame permanente en el ángulo interno del ojo decolora el pelo. Al no poder evacuarse normalmente por el conducto obstruido, sale por el exterior del ojo (epifora). La limpieza regular permite limitar el fenómeno. Los conductos lagrimales se pueden descongestionar anestesiando al animal.

Las infecciones de los conductos

Se deben casi siempre a una espiguilla que ha sido arrastrada hasta el ángulo del ojo, se ha introducido en el conducto y se ha infectado.

Al lado del hocico se aprecia una inflamación caliente y dolorosa, y se requerirá una incisión. En este caso el derrame es purulento. Hay que consultar siempre al veterinario.

Las afecciones oculares

La conjuntivitis

Es una inflamación de la conjuntiva que puede estar causada por una alergia, por una partícula sólida o por una afección general (moquillo). Se manifiesta por el enrojecimiento del ojo, lagrimeo e inflamación de la conjuntiva. El perro puede tener el ojo cerrado. Si el lagrimeo es claro, la afección no es grave. Si es purulento, habrá que inquietarse. La conjuntivitis se trata con un colirio antiséptico y con antibióticos.

En algún caso puede plantearse la posibilidad de una inyección en la conjuntiva.

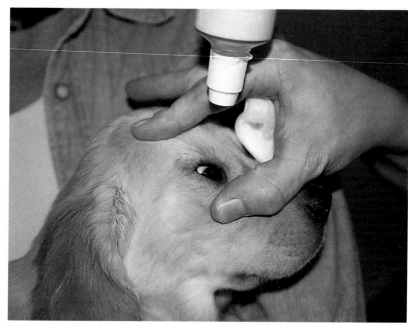

Para poner un colirio hay que tranquilizar al perro y mantener el párpado abierto con delicadeza

Enrojecimiento del ojo

Es un signo que debe tenerse en cuenta durante los cuidados oculares. Nunca se puede considerar normal, excepto en los perros molosoides, que tienen los ojos caídos.

El enrojecimiento del ojo puede ser debido a numerosas afecciones (conjuntivitis, queratitis, uveítis). En todos los casos habrá que llevar al perro al veterinario. Existen productos limpiadores que sólo deben utilizarse en un ojo sano o antes de un tratamiento prescrito por el veterinario para potenciar la acción del colirio.

Los casos más corrientes de ojo enrojecido permanentemente son el entropión y el ectropión.

EL ENTROPIÓN

Este término designa la eversión del borde palpebral hacia el globo ocular. Las pestañas entran en contacto con la córnea y provocan una rápida inflamación. Algunas razas son más propensas a esta malformación (chow-chow, san bernardo, dogo alemán, pastor de Beauce). El ojo presenta un lagrimeo permanente. Se puede intervenir quirúrgicamente para separar el párpado de la córnea. De no hacerlo, el ojo necesitará cuidados constantes.

EL ECTROPIÓN

Es la eversión del párpado hacia fuera, dejando la conjuntiva en contacto con el aire.

*El ectropión es frecuente
en el boxer*

Inmediatamente se produce conjuntivitis. Las razas más predispuestas son el cocker y las de labios colgantes. Mediante una intervención se puede recolocar el párpado.

La queratitis

Es una inflamación de la córnea provocada por una acción mecánica (arañazo, rama, etc.), por un virus o una bacteria. Se aprecia un pequeño punto blanco en la córnea. Esta afección debe ser tratada sin demora para evitar la formación de una úlcera. A menudo está asociada con una conjuntivitis. Cualquier mancha en la córnea requiere una visita al veterinario. No es aconsejable iniciar ningún tratamiento con un colirio genérico porque se corre el riesgo de agravar la situación.

En algunas razas, como el dogo de Burdeos, los ojos necesitan cuidados constantes para evitar irritaciones y otras afecciones oculares

El ojo sucio

Se conoce un caso muy particular: la queratoconjuntivitis seca. Pese a limpiar todos los días los ojos del perro, no tarda en recubrirse de legañas y siempre tiene un aspecto sucio. Es una afección frecuente en los cocker debida a la falta de secreción lagrimal. El ojo siempre está seco. Es necesario consultar al veterinario.

CUIDADOS DE LOS OJOS

- **Las reglas básicas:**
— utilicemos gasa y no algodón;
— sujetemos correctamente al animal para no hacerle daño;
— no hagamos nunca una cura en un ojo rojo o sucio.

- **El botiquín:**
— suero fisiológico;
— gasas;
— colirio antibiótico;
— antiinflamatorio.

- **Los diferentes tipos de colirio:**
— anestesiante;
— antibiótico;
— antiinflamatorio.

- **Aplicación de un colirio**
— se deposita en el ángulo interno del ojo;
— no debe utilizarse más de 15 días;
— no apliquemos un colirio sin diagnóstico previo.

- **Signos de alarma en oftalmología:**
— ojo cerrado;
— secreción purulenta;
— dolor repentino.

- **Primeras actuaciones:**
— limpiar el ojo con suero fisiológico;
— protegerlo con una gasa.

CUIDADOS
DE LAS OREJAS

Es importante saber limpiar correctamente las orejas del perro para reducir el riesgo de infecciones.

La limpieza de las orejas

Conociendo la estructura de la oreja entenderemos cómo debemos limpiárselas sin hacerle daño. El conducto auditivo tiene forma acodada, por lo que no servirá de nada introducirle un bastoncito verticalmente, ya que no pasará por mucho que nos esforcemos.

En la ilustración podemos ver los meandros complejos del interior de la oreja de un perro

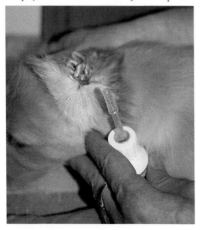

Cómo hacerlo

No es necesario limpiar las orejas al perro cada día. Bastará hacerlo con profundidad una vez por semana.

En los perros con orejas caídas se puede limpiar diariamente la parte exterior de las orejas, operación que aprovecharemos para comprobar que no se haya introducido ninguna espiguilla. El uso de bastoncillos se limitará a la parte externa del oído, y no lo emplearemos para limpiar el conducto auditivo porque podría empujar la suciedad hacia el fondo. Para ello utilizaremos una loción auricular específica para perros. Generalmente se aplica con un cuentagotas, que se introduce delicadamente en el oído. En los perros de orejas caídas, estas tienen que sujetarse para mantenerlas verticales.

Una vez introducidas las gotas, masajearemos la base de las orejas para que penetre el producto disolviendo las impurezas localizadas en el fondo del conducto.

Seguidamente, con un algodón eliminaremos con mucho cuidado el líquido sobrante.

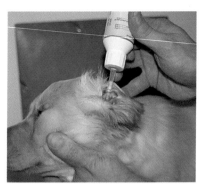

Para minimizar la sensación desagradable que producen las gotas, hay que levantar bien la oreja e inmediatamente después masajearla suavemente para que el líquido penetre

Las infecciones

El cuidado regular de las orejas nos permitirá detectar rápidamente una posible infección. Cuando le limpiemos las orejas, el perro no ha de sentir ningún dolor y el algodón debe quedar relativamente limpio. Si esto no ocurriese, es probable que nos encontremos ante una infección auricular.

En los perros con orejas caídas y pelo áspero, como este airedale, es importante procurar que los pelos no obstruyan el conducto auditivo

En condiciones normales la cera del oído ha de tener un color blanco o amarillento. Si es negra, puede ser otitis parasitaria, y si es amarilla y maloliente, es síntoma de otitis purulenta.

La depilación de las orejas

En determinadas razas (por ejemplo, el caniche o el bichón) es conveniente depilar la entrada del conducto auditivo, ya que los pelos pueden impedir la correcta ventilación. Esta operación se realiza con los dedos o con unas pinzas. También se puede rasurar la entrada del conducto con una esquiladora eléctrica.

CUIDADOS DE LAS OREJAS

• Utilizaremos algodón.

• Utilizaremos una loción auricular especial para perro.

• Introduciremos el producto, masajeamos y limpiamos el líquido sobrante.

• No insistamos si el animal se queja; tal vez padezca una infección.

• Es suficiente una vez por semana.

• Los perros con orejas caídas necesitan una atención particular.

CUIDADOS DENTALES

L a higiene dental, a pesar de ser indispensable a la hora de cuidar un perro, es muy difícil conseguir que sea completamente satisfactoria.

A principios de siglo, pocos veterinarios abrían la boca a los perros. Se limitaban a vacunarlos una vez al año, y no volvían a verlos hasta el año siguiente. Los problemas dentales de los perros no formaban parte de sus preocupaciones ni de las de sus dueños. En aquel contexto, un dentista para perros hubiera parecido cuanto menos algo absurdo.

Sin embargo, desde entonces la situación ha evolucionado enormemente. Hoy en día la odontología veterinaria utiliza todas las innovaciones técnicas en lo que se refiere a prótesis, limpieza del sarro, etc.

El perro cada vez se beneficia más de la medicación y la asistencia veterinaria, su esperanza de vida crece, pero sus dientes no siempre se mantienen en buen estado.

El control, la prevención y los tratamientos reducen la pérdida de piezas, los abscesos, las caries y otros trastornos que conviene tratar.

Este joven cachorro pronto perderá los dientes de leche

La dentición del perro

La fórmula dental es la siguiente: cada maxilar (inferior y superior) tiene seis incisivos y dos caninos. El arco superior tiene ocho premolares y cuatro molares, y el arco inferior ocho premolares y seis molares, es decir, en total cuarenta y dos dientes. Los incisivos se utilizan para cortar y desgarrar la comida, en tanto que los molares la trituran.

La estructura del diente

El diente está alojado en el alvéolo. Al igual que los nuestros, en el interior de los dientes de los perros se encuentra la pulpa. Cuando esta última se infecta, se produce una pulpitis. La pulpa está recubierta por la dentina y el esmalte. La parte interna del diente es la raíz, y la externa, la corona. Por consiguiente, si la estructura es idéntica a la del diente humano, es lógico que las técnicas de tratamiento y prevención sean las mismas.

El crecimiento de los dientes

La primera dentición es la de leche, formada por treinta y dos dientes, que deja lugar a la dentición definitiva de adulto. El perro tiene únicamente dos denticiones. Esto significa que si un adulto pierde un diente definitivo, este no se regenera. Los primeros incisivos aparecen entre la segunda y la tercera semana, al igual que los caninos. A las cuatro semanas, la dentición de leche está completada, con excepción del último molar.

El cachorro se traga los dientes de leche que caen, y raramente se encuentran. ¡Es imposible hacerle creer en la historia del ratoncito Pérez! A las seis semanas la dentición está completada. A los cuatro meses aparecen los incisivos definitivos, a los cinco meses despuntan los colmillos adultos. La dentición se completa entre los seis y los siete meses. Durante este periodo, puede desarrollarse una gingivitis. En tal caso puede apreciarse una línea roja en la parte superior de la encía. Consecuencia de ello es que el cachorro babea y mordisquea algunos objetos. Para evitar dolor al masticar, le daremos alimentos blandos. Se le puede administrar una solución para aliviar el dolor o ponerle un cubito de hielo.

El cepillado de los dientes

Se utilizarán productos de limpieza dental específicos para perros y no dentífricos para uso humano. El producto más corriente es una pasta que se aplica con un dedal. También hay comprimidos.

Un dedal de goma o un cepillo de dientes y una pasta dentrífica específica son una garantía de que el perro tenga una dentadura sana

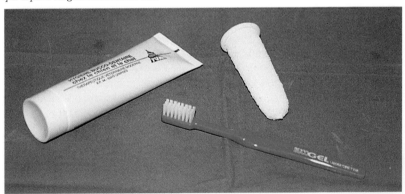

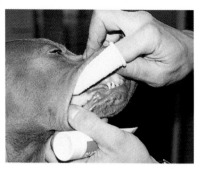

Con un poco de práctica, los dientes se pueden limpiar con un dedal de goma

Conviene acostumbrar al cachorro a aceptar estas manipulaciones desde muy joven. Para limpiarle los dientes debemos sujetarle la cabeza pasando la mano por detrás del cuello, y le introducimos el cepillo por uno de los lados (nunca frontalmente porque el perro mordería el cepillo). No hay que poner demasiado dentífrico (si no salivará). Un cepillado periódico retrasa la formación de sarro.

El sarro

Muchas veces el dueño se siente incomodado por el mal aliento de su perro, que percibe irremediablemente cuando el animal se le acerca a la cara manifestándole su cariño.

El origen de este inconveniente suele ser el sarro, aunque también puede serlo una mala digestión o una úlcera bucal.

El sarro es un depósito de sales calcáreas que normalmente se encuentran en la saliva y se adhiere al cuello del diente, formando una capa de color gris blanquecino, que se puede desmenuzar con cierta facilidad. Los gérmenes se acumulan debajo de este depósito y producen un olor fétido e infecciones. Los dientes pueden sangrar porque el sarro provoca desprendimiento de la encía. Aparece a los cinco años, aunque hay diferencias en función de las razas. En términos generales, las razas pequeñas son más sensibles a este fenómeno.

Factores que favorecen la formación de sarro

La edad es un factor determinante. Los perros de más de ocho años están muy expuestos. Los problemas digestivos y renales hacen que el depósito de sarro se forme más rápidamente y de forma abundante. La falta de vitamina A disminuye la resistencia de la encía; la falta de vitamina C favorece las inflamaciones. La alimentación de tipo blando favorece la formación de sarro.

Por último, la falta de higiene dental es una causa determinante, que, sin embargo, tiene un fácil arreglo: limpiar los dientes del perro.

La limpieza bucal

Es la operación esencial de todas las que se refieren a la dentadura del perro. Se realiza con anestesia, simplemente para que no se mueva, ya que la eliminación del sarro no es dolorosa. Una vez dormido, se le coloca un abrebocas que le mantiene la boca abierta durante toda la intervención.

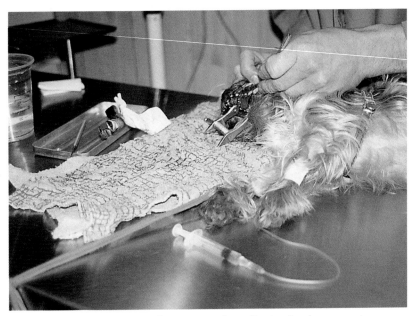

No hay que dejarse impresionar por las apariencias de esta limpieza bucal con anestesia: es una operación que no conlleva ningún tipo de peligro y que alivia enormemente al perro

El sarro se elimina con un aparato que trabaja con ultrasonidos y destruye el sarro por vibración. Un chorro continuo de agua evita el recalentamiento en la encía. Al finalizar la intervención se desinfecta esta y se limpia la sangre. Durante unos días se le deberá dar alimento blando, y en algunos casos se prescribe un tratamiento antibiótico.

Las afecciones dentales

Las infecciones del diente o de la encía se dan con cierta frecuencia.

Los abscesos dentales

Es la afección más frecuente en los perros viejos, y suele localizarse en los molares superiores. Se trata de una infección de la raíz y del hueso alveolar. El síntoma más evidente es la presencia de una bolita debajo del hueso. Esta tumefacción es blanda, cálida y dolorosa a la palpación. El tratamiento puntual consiste en la administración de antibióticos y casi siempre pasa por la extracción de la muela. Se realiza bajo anestesia, y en muchas ocasiones la extracción comporta algunas dificultades porque las raíces son numerosas.

La piorrea

Es el término que define una irritación que se transforma rápidamente en infección generalizada de la boca. El sarro y también las astillas pueden causar pus en las encías, que se manifiesta con un ligero depósito blanquecino y mal aliento. La búsqueda de la causa forma parte del tratamiento; se requiere un tratamiento antibiótico.

Las caries

En el perro son raras, pero las complicaciones, sin embargo, suelen ser bastante frecuentes: pulpitis y destrucción de la corona. En el perro la caries se sitúa principalmente en el cuello del diente (entre la raíz y la corona).

El animal experimenta un fuerte dolor, rechaza la comida y parece tener dificultades para engullir.

Actualmente, la extracción es la solución más práctica.

Según un estudio reciente, el 80 % de los perros de más de cinco años padecen alguna enfermedad dental.

RESUMEN

- **Cuidados durante la erupción de los dientes:**
las encías están muy enrojecidas; el animal mordisquea algunos objetos y babea. Veamos algunos consejos:
  — aplicar un cubito de hielo en las encías;
  — darle una pelotita blanda para morder;
  — darle una comida blanda (triturada o en lata), porque le cuesta masticar;
  — no aplicarle enjuagues bucales porque le harían salivar.

- **Síntomas de una afección dental:**
  — mal aliento debido al desarrollo de gérmenes;
  — salivación excesiva debido a la dificultad para engullir;
  — anorexia debido al dolor.

- **Consecuencias de la mala higiene dental:**
  — mal aliento;
  — dolor;
  — masticación difícil;
  — pérdida de apetito;
  — salivación excesiva.

Las razas de pelo duro y corto no se libran de las pulgas, garrapatas y otros parásitos (© FD)

CUIDADOS
DE LA PIEL

La estructura de la piel

La piel es un tejido que recubre el cuerpo del animal. Está en contacto permanente con el medio exterior y se renueva constantemente. Algunas células del organismo no se regeneran nunca, lo cual implica que su destrucción es definitiva, como las neuronas. En cambio, la piel se descama regularmente y se van sintentizando células nuevas. Gracias a ello puede cicatrizar. La ectodermis es el estrato cutáneo más superficial. Está constituido por células muertas, que serán eliminadas, y sebo. Algunas dermatosis están causadas por un desajuste en la secreción de sebo, a cargo de las glándulas sebáceas que están repartidas por toda la superficie del cuerpo. La piel también está sujeta a las agresiones exteriores.

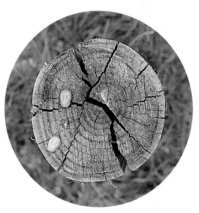

Después de un paseo por el bosque o de jugar en la hierba, hay que comprobar que el perro no tenga garrapatas

La pulga es el principal enemigo del perro

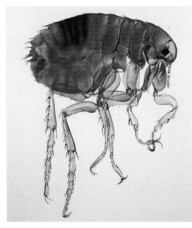

Los parásitos

El más frecuente: la pulga

La pulga es un insecto sin alas (lo cual permite combatirla más fácilmente), cuerpo aplanado, que le permite esconderse entre el pelaje

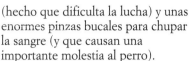
(hecho que dificulta la lucha) y unas enormes pinzas bucales para chupar la sangre (y que causan una importante molestia al perro).

Permanece en el cuerpo del animal el tiempo necesario para alimentarse (una hora aproximadamente). El resto del día corre por las alfombras, la moqueta, etc. Vive entre veinte y treinta días, pero pone miles de huevos.

La pulga adulta desova entre 36 y 48 horas después de comer. Los huevos se transforman (de 1 a 8 días) en larvas y luego (de 10 a 20 días) se les forma un pequeño caparazón, la pupa, que los protege hasta la eclosión, que tiene lugar cuando aumenta la temperatura. En este estadio pueden resistir más de un año.

La pulga puede transmitir una lombriz digestiva muy frecuente en el perro: el dipylidium o tenia. La pulga lleva los huevos de este parásito digestivo. El perro se contamina lamiéndose.

La lucha contra las pulgas

Inspeccionando regularmente el pelo del perro podremos descubrir la presencia de pulgas. Una vez localizadas, el paso siguiente es eliminarlas. En el mercado encontraremos varios tipos de productos antipulgas. Para los productos específicos contra la sarna y la tiña se necesita receta.

TIPOS DE PRODUCTOS ANTIPULGAS

Hay productos en forma de polvos, bomba, pipeta, comprimidos y collares.

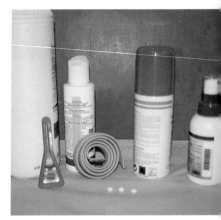

Polvos, collar, aerosol, pipeta... un verdadero arsenal de productos contra las pulgas

El uso depende de la afección, de la edad del perro y de su forma de vida.

Las bombas y los aerosoles no son recomendables para los cachorros, porque el ruido que producen les asusta.

• Los productos en *polvo* están indicados para perros de manto muy espeso y para cachorros. No obstante, no son fáciles de usar, y poco a poco van desapareciendo del mercado.

• Los *collares* contienen una sustancia que destruye los ejemplares adultos que se hallan en el pelaje del animal. Duran de tres a seis meses. Son interesantes porque actúan contra todos los parásitos externos del perro. Pero cuidado: las pulgas desarrollan una cierta resistencia. Además, los collares pueden producir alergias, con la consiguiente caída del pelo. Este inconveniente no depende de la calidad del producto, sino de la reacción del perro.

- Los *comprimidos* esterilizan las pulgas y, por tanto, cortan el ciclo reproductivo. Se administra una dosis mensual. También existe una presentación en forma de ampollas, más fáciles de administrar.

- Los *champús* tienen una acción tópica, y a los perros generalmente no les gusta ser enjabonados.

- Los *aerosoles* son de acción muy rápida, y tienen una eficacia de ocho días aproximadamente. Los aerosoles mecánicos protegen al perro durante dos meses. Para aplicarlos, hay que mojar al animal por completo.

- Las *cremas* son productos bastante recientes. Presentan la ventaja de que su aplicación no es molesta para el perro. Conviene tener la precaución de aplicarlas con guantes.

- Las *pipetas* se aplican en el cuello del perro y tienen una eficacia de cuatro semanas.

LOS ADULTICIDAS

Las pulgas adultas se eliminan mediante *adulticida*, que se presenta en forma de polvos, champús, collares y aerosoles aplicables directamente. Los animales que se hallan en el medio externo, en donde tienen lugar todos los estadios de la pulga, se combaten con las denominadas *bombas*.

LOS REGULADORES DE CRECIMIENTO DE LOS INSECTOS

También se utilizan los reguladores de crecimiento de los insectos o IGR *(Insect Growth Regulator)*. Una primera familia de estos productos, los piretroides, provocan en la pulga temblores, convulsiones, y posteriormente parálisis y muerte. Actúa contra los ejemplares adultos y contra las larvas. Los reguladores de crecimiento impiden la transformación de la larva en ninfa y provocan su muerte. También bloquean el desarrollo de los huevos. Al actuar contra todos los estadios del parásito, no es preciso repetir la operación un tiempo después. En efecto, los productos que sólo actúan contra un estadio del desarrollo deben ser utilizados periódicamente, puesto que no todas las pulgas experimentan un desarrollo paralelo, y en un determinado medio coexisten huevos, larvas y adultos.

LUCHAR CON EFICACIA RESPETANDO EL ENTORNO

Para luchar con éxito contra las pulgas es fundamental extender el tratamiento a todo el entorno del perro. Las pulgas adultas que se instalan en el pelo del perro se eliminan con productos que se aplican directamente en el cuerpo del animal. El problema es que las pulgas saltan al exterior, buscan un lugar resguardado para poner los huevos. Las «bombas», o *foggers*, tienen por objetivo todos los estadios evolutivos de las pulgas. Deberemos respetar escrupulosamente el modo de empleo.

Lo más importante es dirigir la actuación antiparasitaria a todos los estadios de desarrollo de la pulga: adulto, huevo, larva y ninfa.

LOS OTROS PRODUCTOS

Otra gama de productos son los que se administran por vía oral. La sustancia llega a la sangre y, cuando la pulga la absorbe, ingiere también el inhibidor de crecimiento. Los huevos que pondrá no llegarán a la eclosión. Con este sistema la pulga no muere, pero no puede reproducirse. Por tanto, estos productos tienen que asociarse con un tratamiento externo para acabar con la pulga adulta.

Para una correcta utilización

Un experimento científico sirve para ilustrar el comportamiento de la pulga.

Si se introducen en una caja de cultivo una muestra de moqueta, larvas y se rocía con un producto insecticida, se puede observar que la larva va a tejer su capullo debajo de la moqueta, a resguardo del insecticida. Esto significa que el insecticida ha de llegar a todos y cada uno de los rincones, y, sobre todo, debajo de los rincones.

Atención: las pulgas pueden desarrollar una cierta resistencia a los productos. Esto implica que deberemos cambiar el tipo de insecticida, tanto el que aplicamos al perro, como el que utilizamos para el medio ambiente. Hay que asociar siempre a los productos por vía oral un antiparasitario externo para matar al adulto.

Las enfermedades de la piel

Respetando escrupulosamente las normas de higiene, podremos luchar

CONSEJOS

• Cuidado con los niños de corta edad: no deben tocar el collar antiparasitario ni el producto aplicado en el cuerpo del perro, porque podrían llevarse los dedos a la boca inmediatamente después.

• Las pulverizaciones han de realizarse siempre en una habitación aireada.

• Nos pondremos guantes cuando haya que aplicar y extender un producto por el cuerpo del perro.

• No apliquemos nunca un producto antiparasitario a un animal enfermo.

• No lavemos el perro durante la semana posterior a la aplicación.

• Atención con la combinación de otro medicamento en los quince días siguientes a la desparasitación.

• Observemos al perro durante la hora que sigue a la aplicación de un insecticida, porque podría tener una reacción alérgica. Los síntomas más claros de alergia son salivación y dificultades respiratorias.

contra las enfermedades de la piel y prevenirlas con eficacia. La prevención es fundamental porque una vez se han manifestado, es difícil erradicarlas. Las dermatosis incluyen todas las afecciones de la parte más profunda de la piel: la endodermis. Se manifiestan de varias maneras: el pelo cae en áreas difusas o formando claras manchas; el animal se rasca o se lame porque siente prurito.

La cuestión principal es determinar la causa de la pérdida de pelo, de la falta de brillo o del prurito.

Ante todo, hay que buscar la causa médica que origina el problema dermatológico, antes de dar vitaminas o levaduras.

El sebo: una capa protectora

La regulación de la secreción del sebo depende de varios factores. Las hormonas sexuales desempeñan un papel importante. La carencia de algunas vitaminas, especialmente vitamina A, provocan trastornos en la secreción del sebo.

El sebo es una sustancia que protege la piel de las agresiones externas, como el agua y el frío. Cuando la secreción de sebo es anormal, la piel es más sensible a las infecciones. Por otro lado, aumenta el cantidad de bacterias que se desarrollan en esta y aparecen las piodermitis.

La hipersecreción se traduce en una dermatosis característica: la seborrea.

• La *seborrea*, es decir, el exceso de sebo en la piel, puede ser seca o grasa.

Se manifiesta por la aparición de películas debidas a la descamación anómala de la piel. El perro no siempre se rasca, pero el aspecto del pelaje se modifica.

En la seborrea seca, la piel y el pelo están secos y tienen un aspecto ceroso. Después de tocar el pelo, queda una fina película parecida a la cera en los dedos. Se observan numerosas películas finas y blancas en el pelo. Con todo esto, el manto presenta un aspecto sucio y mojado.

En la seborrea grasa, la piel y el pelo están aceitosos y se pegan entre sí. El perro emite un fuerte olor de grasa rancia.

• Una última afección es la *dermatitis seborreica.* Se aprecia una mancha negruzca, escamosa y sin pelo.

Si se lava excesivamente al perro, en primera instancia se destruye la protección generada por el sebo, y la consecuencia final es el aumento de la secreción. El perro tiene la piel muy irritada, grasa y emana un olor muy fuerte.

Las alergias

Las alergias pueden ser causadas por parásitos (pulgas), plantas, medicamentos, insectos, alimentación, y se manifiestan de diversas formas: mucho prurito, edemas o dermatitis.

El veterinario puede realizar un test que permite descubrir la sustancia causante de la alergia. Los alergenos (productos que provocan una alergia) se inoculan en la piel, y si el perro es alérgico se forma una pápula.

A continuación se procede a aplicar el tratamiento de desensibilización.

La piodermitis de los pliegues

Es una afección específica de los perros de hocico achatado. Los pliegues de la piel nunca están en contacto con el aire y la acumulación de impurezas origina una infección.

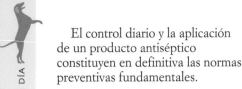

El control diario y la aplicación de un producto antiséptico constituyen en definitiva las normas preventivas fundamentales.

La higiene del manto

El cuidado del manto sirve para detectar posibles problemas cutáneos o la presencia de parásitos, y a la vez previene la caída del pelo y sus consecuencias.

Cepillo, peine, tijeras pequeñas y rastrillo son los instrumentos necesarios para el arreglo del manto

La caída del pelo

Todos los perros pierden pelo, incluso las razas que no tienen mudas abundantes. Es importante diferenciar las pérdidas de pelo difusas, que afectan a todo el cuerpo, y las lesiones localizadas, que se limitan a una zona concreta. Es normal que los pelos caigan y se regeneren regularmente. Sin embargo, si se forman áreas alopécicas, si el pelo se rompe o pierde el brillo, es posible que nos encontremos ante una afección dermatológica.

¿Tienen alguna utilidad real la levadura, las vitaminas o los champús al aceite de yoyoba que se usan para el cuidado del manto? Resulta difícil afirmar de forma rotunda el efecto de todos los suplementos y complementos vitaminados.

El metabolismo de las vitaminas de síntesis es diferente del de las vitaminas naturales contenidas en la fruta y las legumbres. Además, el organismo del perro no las absorbe totalmente. Por otra parte, las vitaminas tienen una vida limitada, a menudo inferior a la del producto en el que se encuentran. No obstante, no todos los tratamientos son ineficaces.

Son preferibles las vitaminas que se venden en los centros veterinarios.

Ante un problema dermatológico es imprescindible buscar la causa médica.

El suplemento vitamínico no es perjudicial, pero no debe constituir el tratamiento de partida. En cambio, sí es un buen refuerzo administrar un buen complemento dos veces al año, durante las mudas. Para que sea eficaz deberá durar un mínimo de tres semanas.

Nota: la muda se produce dos veces al año, en primavera y en otoño. El complemento vitamínico favorece el crecimiento del pelo nuevo.

El baño

ELECCIÓN DEL CHAMPÚ

En primer lugar debemos saber que la piel del perro, al igual que la del hombre, está recubierta por un tejido cutáneo que la protege de las agresiones exteriores (frío, humedad, acción de las bacterias y de los hongos, etc.).

Los champús para perros tienen unas propiedades físicas y químicas que permiten mantener dicho tejido.

No hay que usar nunca el mismo champú que utilizamos nosotros, porque la piel del perro es más alcalina que la del hombre (su pH es de 7,5 a 8).

Por lo tanto, el perro debe tener su propia cosmética.

Los pelos de delante de los ojos pueden cortarse para evitar las infecciones

Trabajando suavemente con el peine se desenreda el pelo

Igualando los pelos del hocico el perro se ve más arreglado

Además, en la elección del producto más adecuado para el perro deberemos tener en cuenta el tipo de pelo (largo, corto, duro, áspero, etc.) y saber que ciertas razas tienen la piel más sensible que otras.

Por ejemplo, el champú al aceite de visón está particularmente indicado pata todos los terrier (west highland, yorkshire) que tienen mucho pelo. Además, tiene la propiedad de reforzar, aunque sin endurecer, el pelo tupido y facilita el peinado del pelo largo.

CUÁNDO Y CÓMO SE LAVA AL PERRO

Entre el cuarto y el séptimo mes de vida, el perro pierde la pelusa de cachorro, que es sustituida por el pelo definitivo. El cachorro puede bañarse desde los dos meses, sin abusar del champú. Lo mejor es hacerlo cada dos meses.

El champú seco es una opción válida para recuperar con rapidez la belleza del animal entre lavados o cuando el animal no debe mojarse.

CONSEJOS

• Antes del baño, los perros de pelo largo deben ser peinados.

• No olvidemos proteger los ojos y las orejas.

• Después del baño, enjuaguemos abundantemente al perro.

• Acostumbremos progresivamente el animal al secador.

• El pelo debe cepillarse a diario.

• Tengamos varias toallas a mano porque todos los perros se sacuden.

• Evitemos que le entre agua en las orejas.

IMPORTANTE

• No hay que darle miedo.

• No le lavemos demasiado a menudo.

• No le cortemos los nudos (intentemos peinarlos).

• Cortemos los pelos de delante de los ojos.

ACCESORIOS INDISPENSABLES

• **Productos:**
— productos para el lavado: champú para desenredar el pelo;
— productos tratantes: antiparasitarios;
— productos de belleza: aceites.

• **Instrumentos:**
— peine;
— cepillos;
— rastrillo;
— tijeras.

LA SEXUALIDAD

El celo

El primer celo se manifiesta entre los siete y los doce meses, según la talla del adulto (las razas pequeñas son más precoces). Se aprecian un hinchamiento de la vulva y pérdidas sanguinolentas. La perra atrae a los machos. El estro dura entre cinco y quince días, y se manifiesta por el reflejo de postura y la aceptación del macho. La perra tiene dos celos al año.

Es importante que el dueño de la perra lleve el control de las fechas de los celos en el libro de salud. El control del celo y de la reproducción por parte del amo es uno de los aspectos fundamentales de la higiene de vida de la perra. Existen productos en forma de comprimido que contienen una hormona que sirve para la prevención del celo, para su interrupción y para el tratamiento de los machos que experimentan una excitación sexual excesiva.

La prevención del celo

Para prevenir el celo de la perra hay que empezar el tratamiento entre siete y quince días antes de la fecha prevista para el inicio. Por tanto, no se puede intervenir preventivamente en el primer celo.

La mayor parte de los inhibidores del celo contienen acetato de megesterol. Administrado diariamente durante 32 días podemos tener de cuatro a seis meses de tranquilidad. Esta hormona tiene muy pocos efectos secundarios si se respetan las posologías indicadas. La presentación en forma de azucarillo presenta la ventaja de resultar muy apetitosa para la perra, que la engulle sin problemas.

La interrupción del celo

No es un sistema de contracepción, y sólo debe utilizarse en circunstancias excepcionales. Es obligatorio intervenir entre el segundo y tercer día a partir de las primeras manifestaciones del celo. De no ser así, los riesgos de fracaso son bastante elevados.

El tratamiento se basa en los mismos productos que los utilizados para la prevención, pero en dosis más importantes. Se aumenta la dosis durante tres días, seguidamente se administra otra normal durante

43

tres días más y, por último, media los siete días siguientes.

En el próximo celo habrá que controlar las fechas para garantizar la prevención, y no verse obligado a interrumpirlo de nuevo.

Existe la posibilidad de esterilizar a la perra definitivamente por medio de una operación quirúrgica.

EL CICLO SEXUAL DE LA PERRA

• El primer celo tiene lugar entre los siete y los catorce meses.

• El ciclo de la perra tiene una duración media de seis meses.

• La ovulación es espontánea.

• El celo tiene una duración aproximada de tres semanas.

• La duración media de la gestación es de 58 a 63 días.

PRECAUCIONES EN LA UTILIZACIÓN DE LOS INHIBIDORES DEL CELO

• Las hembras impúberes no pueden ser tratadas por el riesgo de esterilidad.

• El tratamiento de interrupción del celo debe iniciarse antes del tercer día de estro.

• No deben utilizarse en hembras gestantes, ni en caso de tumor mamario o de diabetes.

Anomalías en el flujo

Toda emisión de flujo vaginal debe ser sometida a observación.

La metritis (infección del útero) se manifiesta con sed intensa y emisión de flujo purulento. La perra se lame sin cesar. La toma habitual de un anticonceptivo, en forma de píldora o de inyección, aumenta el riesgo.

No son raros los casos de ineficacia de los antibióticos. En tal caso se impone una extirpación del cuerpo del útero (histerectomía).

Los cuidados de los órganos reproductores se limitan a la limpieza con una solución ginecológica si el flujo es abundante, aunque las perras se limpian de forma natural. Por el contrario, las hembras gestantes o en periodo de cría requieren una atención particular.

La falsa gestación

No es una enfermedad, sino una afección cuya prevención y tratamiento se incluyen entre las medidas a tener en cuenta en lo relativo a la higiene de la perra.

La falsa gestación está causada por un desarreglo hormonal, que se manifiesta con la subida de leche, asociada o no a alteraciones comportamentales: la perra se lamenta, se adueña de determinados juguetes, se muestra temerosa o agresiva, etc.

Suele producirse al cabo de un mes y medio después del final del celo.

Las mamas se hinchan y, pasados unos días, se produce la secreción de leche sin estar grávida.

Es necesario hacer cesar la lactancia de pseudogestación cuando se observan los primeros síntomas. Cuanto antes se interviene, más fácil resulta cortar la secreción láctea.

Si se prescinde de cualquier tratamiento, la inflamación de las

Hembra golden retriever con sus pequeños. (Fotografía de P. Visintini)

mamas puede aumentar y derivar en mastitis.

Esta afección se trata con una serie de medidas higiénicas y con la administración de comprimidos.

Otras medidas que deberán aplicarse son una dieta hídrica de 48 horas, con salidas frecuentes y la confiscación de todos los juguetes.

Todo ello favorecerá un cambio psicológico que ayudará a normalizar el comportamiento de la perra.

El tratamiento médico consiste en obtener el cese de la secreción de leche por medio de la acción de hormonas.

Dichas hormonas actúan directamente sobre el centro

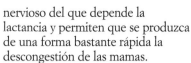

nervioso del que depende la lactancia y permiten que se produzca de una forma bastante rápida la descongestión de las mamas.

A los cuatro días se observa una recuperación del comportamiento normal y la reducción del volumen mamario.

Lógicamente, el primer paso, previo a cualquier tipo de tratamiento, es asegurarse de que la perra no está preñada.

LA GESTACIÓN Y EL PARTO

- **Diagnóstico de la gestación:**
  — a los 21 días: ecografía (se perciben los latidos de los corazones);
  — a los 40 días: palpación (las ampollas fetales se notan al apoyar las manos en los lados del vientre);
  — a los 45 días: radiografía (pueden apreciarse los esqueletos de los cachorros).

- **Signos de la inminencia del parto:**
  — las mamas se hinchan, y se inicia la secreción de calostro;
  — la perra se muestra inquieta;
  — empieza la emisión de flujo vaginal;
  — la perra se esconde y busca un nido.

- **El parto**
  — prepararemos la caja para el parto y comprobaremos que las condiciones ambientales de la estancia prevista para este acontecimiento sean las adecuadas;
  — seguiremos el desarrollo del parto sin molestar al animal y en silencio, ya que el ruido es una fuente de estrés;
  — si un cachorro tiene dificultades para salir, no hay que tirar de él; primeramente miraremos si está bien colocado, es decir, si el cachorro se presenta de cabeza y con las patas anteriores extendidas a ambos lados de esta;
  — no hay que romper el saco que envuelve al cachorro antes de que haya salido completamente;
  — no hay que recurrir precipitadamente a inyecciones a base de hormonas para provocar las contracciones porque si el útero no está bien abierto, puede desgarrarlo.
  En caso de complicaciones, no dudemos en avisar al veterinario.

- **El cordón umbilical:**
  — es preciso cortarlo porque algunas perras no lo hacen y otras lo rompen con demasiada fuerza y provocan daños al recién nacido. Debemos cortarlo bastante largo y dejaremos que se seque solo. No lo desinfectaremos para evitar una posible intoxicación debida al alcohol.

- **Después del parto:**
  — haremos una radiografía a la madre para cerciorarnos de que no le queda ningún feto en el vientre. En los días que siguen al parto la perra no podrá tener ya pérdidas con algo de sangre. Es posible que el veterinario recomiende un tratamiento preventivo a base de antibióticos.

LOS PRIMEROS AUXILIOS

E n capítulos anteriores nos hemos referido a los cuidados diarios que necesita el perro y a las afecciones que pueden derivarse de la mala higiene. También es importante considerar las actuaciones de primeros auxilios que todo dueño responsable debe conocer.

Las urgencias se dan en todos los ámbitos médicos: oftalmología, urología, etc. No pretendamos reemplazar al veterinario. Las técnicas que se explican a continuación servirán para atender una posible emergencia, mientras esperamos la visita del veterinario.

Detectar para prevenir

Una urgencia es una situación en la que se puede producir un deterioro muy rápido de un órgano o incluso la muerte, y para la que existe un remedio rápido. La gravedad de una enfermedad no determina el carácter de urgencia: por ejemplo, la parálisis debida a un problema de médula es grave, pero no puede considerarse una urgencia en la medida en que no existe ningún tratamiento que implique una rápida mejora.

La urgencia requiere una actuación rápida para evitar la muerte del animal.

El masaje cardiaco puede salvar la vida al perro. (Dibujo de A. Marengoni)

Neurología

Las crisis por convulsiones son las urgencias más frecuentes de carácter nervioso. Antes de buscar su origen, hay que tomar algunas precauciones.

En caso de convulsiones

Rodearemos el perro con cojines, sin desplazarlo, para que no se golpee la cabeza contra el suelo.

Mantendremos la cabeza del perro hacia atrás y le pondremos un palo en la boca para que no se muerda la lengua.

No nos esforcemos en decirle que se tranquilice, porque no nos oirá. No gritemos y procuremos instalarlo en una habitación en donde no haya estímulos sonoros ni luminosos.

A continuación, preguntaremos al veterinario.

Las convulsiones epilépticas

Las crisis de epilepsia son la causa más frecuente de convulsiones. La crisis dura de unos segundos a algunos minutos, aunque la impresión será de que es interminable. Normalmente finaliza sola.

Se caracteriza por la alternancia de movimientos de pedaleo y contracciones extremas de las patas.

Se desconoce el mecanismo desencadenante de la crisis, aunque se sospecha que está relacionado con una irritación de alguna área cerebral. Es muy difícil de prevenir porque cualquier emoción puede originarla: miedo, alegría, un susto...

Convulsiones debidas a una intoxicación

Es una causa de más gravedad, que requiere una rápida intervención. El veneno para caracoles (molusquicida), por ejemplo, contiene metaldehído, que produce fuertes convulsiones. Al ser la sustancia azul, la lengua se tiñe de este color. El perro se sobresalta al menor ruido o contacto.

La estricnina también produce una reacción de este tipo.

Es importante hallar las pruebas que confirmen la intoxicación.

Es conveniente tener siempre a mano gasas, esparadrapo, tijeras, vendas...

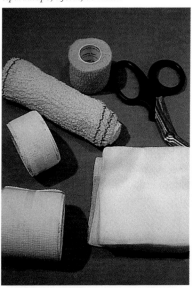

IMPORTANTE

La hipoglucemia y la hipocalcemia pueden causar también convulsiones.

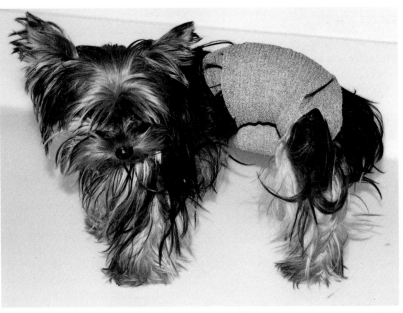

Las vendas, que naturalmente no deben ser adhesivas, no deben aplicarse demasiado apretadas

Oftalmología

El glaucoma agudo

La urgencia está motivada por el dolor causado por esta afección y por el riesgo de lesiones en el nervio óptico, que podría provocar ceguera.

El ojo del perro aumenta de volumen debido al incremento anormal de la presión ocular, la pupila está completamente dilatada (midriasis) y la visión es borrosa.

Los capilares del contorno del ojo (es decir, de la esclerótica) aparecen muy dilatados y, por tanto, el «blanco» del ojo se enrojece. El veterinario le aplicará un colirio específico que servirá para reducir el dolor y, al mismo tiempo, para favorecer el drenaje.

Desorbitación del ojo

No es fácil reintroducir un ojo en su órbita, y en cambio es lo que debe hacerse cuando se ha producido el accidente. Las causas más frecuentes son las peleas y los atropellos.

Se toma el ojo entre dos gasas mojadas con suero fisiológico y se empuja hacia dentro de la cavidad ocular. Si no somos capaces de realizar esta operación, aplicaremos una gasa encima para protegerlo de las infecciones.

Las quemaduras

Suelen estar causadas por productos químicos que el perro ha querido observar demasiado

cerca. El animal curioso introduce la pata dentro del recipiente, se sacude y las gotas llegan al ojo. La sustancia afecta a la córnea y produce dolor. En unos días se forma una úlcera. Como medida de urgencia hay que lavar el ojo con agua abundante.

Pneumología

Las afecciones pneumológicas provocan en la mayor parte de los casos dificultades respiratorias y cianosis (mucosas violetas).

Edema pulmonar agudo

Se produce una acumulación de líquido en los pulmones y el animal no puede respirar. Los movimientos abdominales y torácicos se desincronizan. El vientre se hincha y el perro se sienta, con las patas anteriores separadas para respirar mejor. Esta afección tiene una incidencia mayor en perros cardiacos y en épocas de calor.

Pneumotórax y hernia diafragmática

Ambas circunstancias son consecuencia de accidentes como un atropello o una caída. Entra aire por una herida en el tórax y los pulmones no pueden funcionar. En el caso de la hernia, el diafragma se desgarra y los órganos del sistema digestivo penetran en la caja torácica y obstaculizan la respiración.

El animal se tumba sobre un flanco casi sin respiración.

Una vez realizadas las primeras curas, es conveniente consultar al veterinario, que hará una exploración completa para descartar cualquier riesgo postraumático

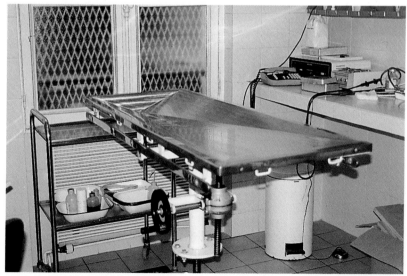

El asma

Es una obstrucción de las vías respiratorias debida a una constricción por alergia. El perro mantiene la boca constantemente abierta y se aprecia la lengua azul. Tose y tiene dificultades para respirar.

ACCIONES SALVADORAS

- **Cortar una hemorragia**
Se aplica un vendaje compresivo: se coloca una gasa gruesa sobre la herida y se sujeta con una venda. El vendaje compresivo no debe dejarse apretado más de dos horas. Es importante recordar la hora en la que se efectúa el vendaje. A continuación llevaremos el perro al veterinario.

- **Masaje cardiaco**
Colocamos el perro sobre el flanco derecho. Apoyamos las manos planas, una encima de la otra, sobre el tórax y presionamos rítmicamente para estimular el corazón.

LOS PRIMEROS AUXILIOS

- **Urgencias neurológicas**
Qué debe hacerse
— proteger el perro de sus propios movimientos;
— instalarlo en una habitación tranquila;
— procurar calmarlo hablándole;
— ponerle un palo en la boca para que no se muerda la lengua;
— instalarlo en un lugar fresco.

Lo que no debe hacerse
— transportarlo;
— estimularlo.

- **Urgencias oftalmológicas**
Qué debe hacerse
— lavar el ojo con suero fisiológico si se ha producido contacto con alguna sustancia peligrosa;
— si el ojo ha salido de su órbita, coger el ojo con gasas y protegerlo;
— colocar una gasa con suero fisiológico.

Lo que no debe hacerse
— buscar un antídoto al producto de la quemadura;
— administrarle un colirio de uso humano;
— tocarle el ojo.

- **Urgencias pneumológicas**
Qué debe hacerse
— si el perro tiene dificultades respiratorias, colocarlo en un lugar fresco;
— hacer que aguante la cabeza entre las patas, sentado sobre el vientre;
— avisar al veterinario.

Lo que no debe hacerse
— manipularlo excesivamente;
— instalar un animal cardiaco en un lugar cálido;
— colocarlo apoyado sobre el flanco.

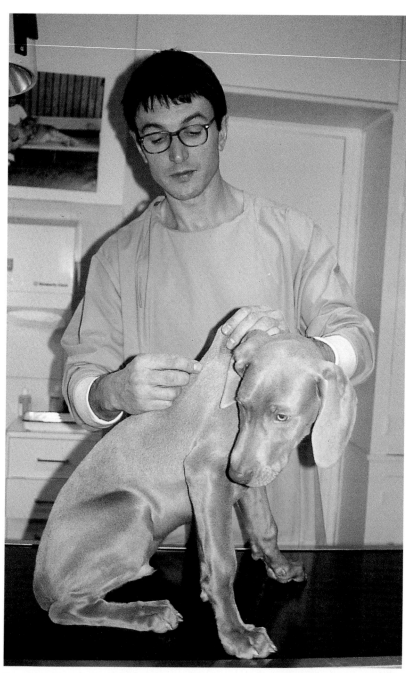

La vacunación es fundamental para la prevención de enfermedades. (© FD)

PREVENCIÓN DE LAS ENFERMEDADES

Más vale prevenir que curar. La prevención médica, junto a una buena alimentación y a la observación de las normas higiénicas, servirá para que nuestro perro goce de buena salud.

Inspeccionar al perro

La observación periódica del perro nos permitirá controlar en todo momento su estado de salud. Para ello hace falta saber cómo sujetarlo y qué debe observarse.

Aguantándolo por la mandíbula y por la piel del cuello, el perro se dejará manipular fácilmente y podremos observarlo desde todos los ángulos.

Se puede confeccionar un bozal con un lazo de tela...

... que se cruza por encima del hocico sin apretarlo excesivamente...

... y se ata por detrás de la cabeza

53

Si el animal da muestras de nerviosismo le pondremos un bozal. Un simple lazo de tela servirá: damos una vuelta al hocico, lo cruzamos por debajo de la mandíbula y lo atamos detrás de las orejas.

Qué debe observarse

✔ *Los ojos:* ofrecen una información muy precisa sobre el estado de salud de un perro. Para examinar el ojo se estira hacia abajo el párpado inferior. De este modo podremos comprobar si la conjuntiva es rosada.

✔ *El vientre:* la palpación del abdomen es muy importante. En el perro sano, el vientre es blando y nuestra presión no debe dolerle.

✔ *El manto:* la observación del pelo es un aspecto imprescindible. Hay que mirar entre las almohadillas plantares, en las axilas y en las nalgas, que son las zonas más proclives a albergar parásitos.

Reconocer un perro enfermo

El perro no come, se esconde, tiene el pelo feo, no bebe, se muestra irritable pero busca nuestro afecto.

La temperatura

Utilizaremos un termómetro digital, que untaremos con vaselina e introduciremos en el recto para obtener la temperatura exacta (esta ha de ser de 38,5 °C).

Observación de las mucosas

Tiramos del párpado inferior hacia abajo. Si la conjuntiva aparece blanca o amarilla, es signo de anormalidad.

Si está blanca indica una carencia de glóbulos rojos; si está amarilla es signo de problemas hepáticos. El perro tiene un tercer párpado: si es visible, seguramente padecerá algún trastorno.

El color de la conjuntiva es un buen indicio para detectar un posible trastorno hepático

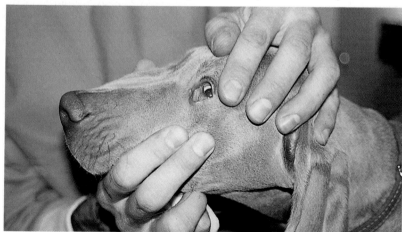

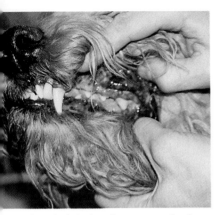

El estado de la dentadura es otro indicador de la salud del perro

Palpación del abdomen

Colocamos una mano en cada lado del vientre: la palpación no debe resultar dolorosa. Si está duro, quizás el animal sufre estreñimiento. Si está hinchado, seguramente tendrá lombrices.

Control de las deyecciones

Si el color de la orina es turbio u oscuro, habremos de tomar inmediatamente una muestra para hacerla analizar.

Examinar la piel: los pliegues

Con una sencilla operación (cogemos la piel del cuello y la soltamos) podemos detectar un signo de deshidratación. Si la piel recupera la posición, el animal no está deshidratado; si el pliegue mantiene la forma, habrá que darle agua con una jeringuilla y consultar al veterinario.

Las vacunaciones

El calendario de vacunaciones se resume del siguiente modo:

— a las ocho semanas: primera inyección CHLP (enfermedad de Carré o moquillo, hepatitis, leptospirosis, parvovirosis);

SIGNIFICADO DE LAS ABREVIATURAS

C = enfermedad de Carré.
H = hepatitis de Rubarth.
L = leptospirosis.
P = parvovirosis.
R = rabia.

• La enfermedad de Carré (moquillo): se manifiesta con síntomas digestivos, nerviosos o respiratorios. A veces quedan secuelas (crisis nerviosas).

• La hepatitis de Rubarth: provoca fiebre, gastroenteritis, inflamación de los ganglios y del hígado, así como el «ojo azul» o edema corneal.

• La leptospirosis: se presenta en dos formas. La primera provoca gastroenteritis hemorrágica y la segunda ictericia (el animal presenta la tez amarillenta).

• La parvovirosis: gastroenteritis hemorrágica vírica.

• La rabia: es una afección grave, aunque rara, que provoca encefalitis y trastornos del comportamiento, así como una salivación excesiva.
La vacuna contra la rabia es obligatoria en determinadas condiciones (cámping, viajes a otros países, caza, exposiciones, zonas de riesgo). También se puede vacunar al perro contra la tos de las perreras. Esta vacunación se practica principalmente en los criaderos.

Las lombrices redondas

Los ascárides adultos se alojan en el tubo digestivo del perro y se nutren del alimento que allí encuentran. Se expulsan con las heces, y tienen forma de grandes lombrices redondas y blancas como fideos.

Los tricurios y los anquilostomas (20 % de los perros parasitados) son menos corrientes. Se fijan en la pared del intestino y se nutren de la sangre del perro. Producen diarreas hemorrágicas y anemias.

En el certificado de vacunaciones constan todas las vacunas que ha recibido el perro y lo protegen contra las enfermedades más corrientes o de más riesgo

Detalle hoja de vacunación

— a los tres meses: segunda inyección CHLP, más antirrábica.

La desparasitación

Las lombrices se dividen en dos tipos: lombrices redondas o *nematodos*, y lombrices planas, o *cestodos*. Son frecuentes en los cachorros y es preciso eliminarlas porque su presencia puede comportar un retraso en el crecimiento o problemas digestivos. El 90 % de los cachorros está parasitado por ascárides. La perra gestante puede transmitir las lombrices porque las larvas atraviesan la placenta y contaminan al feto.

Las lombrices planas

Las lombrices planas (o cestodos), reciben el nombre de *tenias*. Las larvas se desarrollan dentro del organismo de otro animal, denominado *huésped intermedio* (conejo, liebre, oveja y, sobre todo, la pulga). Al tragarlos, el perro queda contaminado. La tenia transmitida por la pulga es la llamada *Dipylidium caninum*.

Se ha de tener en cuenta que las larvas de ascárides y el dipylidium contaminan al hombre.

Qué tipo de antiparasitario elegiremos

Depende del tipo de parásitos. Por lo tanto, en primer lugar es preciso efectuar un diagnóstico. Para ello se necesita un análisis coprológico. Según el tipo de lombrices, se utilizará un antiparasitario específico, que siempre es más eficaz que uno polivalente.

Según el espectro del producto (conjunto de parásitos contra los cuales su acción es eficaz), existen antiparasitarios para lombrices redondas (nematodos), planas (cestodos), o ambas.

En el caso del dipylidium, hay que tratar al perro contra las pulgas, pues son las que ponen los huevos.

Los antiparasitarios se presentan en forma de comprimidos, de pastas en tubo o de pastas que se administran con una jeringa con émbolo dosificador.

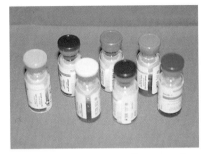

Hay un antiparasitario específico para cada tipo de lombriz; el veterinario nos aconsejará

¿POR QUÉ ES IMPORTANTE DESPARASITAR AL PERRO?

— Porque se evitan los retrasos en el crecimiento;
— porque se evitan los trastornos digestivos;
— porque se evita un posible contagio al hombre, especialmente a los niños.

¿QUÉ PERROS DEBEN SER TRATADOS?

— Los cachorros, una vez al mes, a partir de los dos meses de edad y hasta los ocho;
— los adultos, una vez al año si viven en un piso, y cada seis meses si salen solos o si están en contacto con niños de corta edad;
— las hembras gestantes, que deben ser desparasitadas diez días antes y diez días después del parto para evitar que las larvas pasen al útero y a la leche.

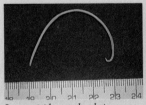

Los ascárides son lombrices redondas

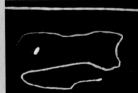

El dipylidium es la tenia que transmite la pulga

Nematodo

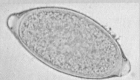

Los tricurios y los anquilostomas son lombrices que se nutren de la sangre del perro

Tenia

Cuando el perro envejece, una buena higiene le permitirá afrontar esta etapa, a veces difícil para el animal y para su dueño. (© APL)

CUIDADOS DEL PERRO ANCIANO

A pesar de los cuidados que le prodiguemos a lo largo de toda su vida, el perro envejecerá inevitablemente. Y nosotros deberemos ayudarle en esta etapa de la vida. El hombre y el perro envejecen juntos, y cuando llega el momento de la muerte del animal, el amo vive instantes de profunda tristeza.

La esperanza de vida

La esperanza de vida de los perros ha aumentado debido al uso de medicamentos. La alimentación desempeña un papel fundamental en la prevención de ciertas enfermedades. Por otro lado, la práctica de actividades caninas es muy importante para que el perro se mantenga en forma mucho tiempo. La geriatría veterinaria ha experimentado un notable desarrollo y no creamos que es ridículo hacer los chequeos oportunos cuando el perro llega a una determinada edad. Los hombres no son los únicos que envejecen. La «tercera edad» canina debe ser tenida en cuenta y mimada. Doblaremos los cuidados y la atención.

Calcular la edad

Para calcular la edad del perro en relación con la del hombre no basta con multiplicar su edad por una determinada cifra. Para hacer esta analogía hay que comparar las etapas de la vida.

El destete tiene lugar a las seis semanas. La primera dentición en el perro se completa a los cuatro meses, y en el niño a los cinco años. En el perro los dientes empiezan a caer a los cinco meses, y la dentición de animal adulto se completa a los siete, mientras que en el hombre no se completa hasta los diez años.

La madurez sexual del perro, que se produce aproximadamente a los ocho meses, puede corresponder a la edad de 16 a 18 años en el hombre.

El perro anciano puede presentar enfermedades debidas al envejecimiento de sus órganos. En el hombre, se considera que este tipo de enfermedades aparecen a los 60 años. En el perro, este riesgo se da a partir de los diez. Por lo tanto, según lo visto se puede establecer que en el perro esta edad (es decir, los diez años)marca la entrada en la vejez.

Diferencias según la raza

Se suele decir que los perros de raza son más frágiles que los «híbridos». Esto probablemente es cierto en lo que se refiere a las infecciones, pero no se ha demostrado nada en este sentido en cuanto al envejecimiento.

Es evidente que existen diferencias importantes entre las razas pequeñas y las razas grandes. Los perros de razas pequeñas tienen una esperanza de vida más larga, y se considera que inician la vejez a los 12 o 13 años, en tanto que los de razas grandes lo hacen a los ocho o nueve.

La longevidad máxima para un perro es de 27 años. Científicamente se ha estipulado que la esperanza de vida media, teniendo en cuenta todas las razas, es de 13 años.

PRIMEROS SIGNOS DE VEJEZ

- Falta de energía.
- Somnolencia.
- Pelo menos brillante.
- Dificultades al andar.
- Jadeo.
- Modificación del carácter.
- Dolores.
- Adelgazamiento u obesidad.

La alimentación del perro anciano

Las modificaciones del metabolismo y del comportamiento del perro anciano influyen en el tipo de alimentación que debe adoptarse. El perro es menos activo, su metabolismo ha disminuido, tiene menos defensas contra el frío y más tendencia a deshidratarse, acumula mucha grasa, pierde masa muscular, asimila menos los alimentos, y digiere con más dificultad debido a la disminución de enzimas. Es obvio que deberemos adecuar la dieta a esta situación. Para ello distribuiremos la comida diaria en dos tomas. La transición a un alimento senior se realiza a partir de los cinco años para las razas grandes y a partir de los siete para las pequeñas. Si el perro come alimentos caseros, preferiremos la carne blanca, la pasta o el arroz muy hervidos, sin sal.

El agua

El cuerpo del perro anciano posee una proporción de agua menor que la del perro joven. Además, tienen menos sed. Esto implica un riesgo real de deshidratación, especialmente cuando sufre diarreas o vómitos.

Las necesidades nutricionales

La cantidad de alimentos es uno de los factores fundamentales. Los dueños tienen una cierta tendencia a mimar al perro, que ya no tiene otras diversiones.

LAS PROTEÍNAS

El perro anciano es más frágil y, por consiguiente, su necesidad proteica aumenta. Ahora bien, teniendo en cuenta que los riñones han perdido capacidad de degradar estas proteínas, ¿le conviene una dieta pobre o rica en proteínas? La solución es no aumentar la cantidad de proteínas, sino su calidad: se le darán proteínas fáciles de asimilar y en cantidad normal.

Por otro lado, el aporte debe ser constante, ya que el perro anciano no acumula reservas de proteínas. La proporción idónea de proteínas en la dieta oscila entre el 18 y el 20 % de alta calidad fisiológica.

LAS MATERIAS GRASAS

Las materias grasas contribuyen en la asimilación de algunas vitaminas y aportan los ácidos grasos esenciales.

Anteriormente hemos visto que los perros ancianos acumulan grasa con más facilidad que los jóvenes, y por esta razón tienden a engordar.

La dieta ha de contener entre el 10 y el 20 % de materia grasa.

LA FIBRA

En los perros ancianos el tránsito intestinal es más largo y, por tanto, son más propensos a sufrir estreñimiento. Se aconseja un alimento enriquecido con celulosa.

CALCIO Y FÓSFORO

Las articulaciones del perro anciano son muy sensibles. Con la edad se incrementa la necesidad de calcio y de vitamina D, que permite la asimilación de calcio. En cambio conviene reducir el aporte de fósforo, ya que los riñones tienen más dificultad para eliminarlo.

LAS VITAMINAS

El alimento de elaboración industrial presenta la ventaja, con respecto a la alimentación casera, de ser completo desde el punto de vista vitamínico.

Casos particulares

INSUFICIENCIA RENAL

La cantidad de proteínas debe reducirse, aunque respetando el aporte suficiente de energía. También habrá que reducir la cantidad de fósforo. La proporción de fósforo no debe superar el 4 %.

INSUFICIENCIA CARDIACA

La enfermedad más frecuente es el endurecimiento de las válvulas cardiacas, que produce un soplo. Una de las consecuencias de esta afección es la retención de agua. Habrá que programar un régimen sin sal.

Los cuidados médicos

Las revisiones

Es aconsejable realizar un chequeo cuando el perro llega a los diez años, consistente en cuatro pruebas.

✔ *Una radiografía pulmonar*, que permitirá descubrir posibles tumores pulmonares (forman unas manchas redondas), deterioro de los bronquios (en la radiografía se ven blancos) o un corazón hipertrófico. La radiografía no es en absoluto dolorosa para el perro. Simplemente se le tiene que colocar de lado sobre la mesa de radiografías.

La placa se revela en cinco minutos.

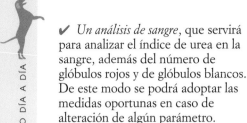

LOS CUIDADOS DEL PERRO DÍA A DÍA

✔ *Un análisis de sangre*, que servirá para analizar el índice de urea en la sangre, además del número de glóbulos rojos y de glóbulos blancos. De este modo se podrá adoptar las medidas oportunas en caso de alteración de algún parámetro.

La toma de sangre se realiza en una de las patas delanteras o en la yugular.

✔ *Un electrocardiograma*, para comprobar el funcionamiento del corazón. Se efectúa sin anestesia y con el perro tranquilo. No todos los veterinarios están equipados con el instrumental necesario para realizar estas pruebas. De todos modos, la auscultación con el estetoscopio permite realizar una exploración correcta y detectar la existencia de un posible problema.

✔ *La palpación del abdomen*, gracias a la cual se puede comprobar que no haya ningún bulto sospechoso. Este tipo de chequeo se puede realizar cada dos o tres años.

Tumores y cánceres

El cáncer es el peor trastorno que puede sufrir un ser vivo. Por ello, conviene conocer todos los síntomas para detectarlo a tiempo. Asimismo, es necesario distinguir entre los tumores y los cánceres.

TUMORES BENIGNOS Y TUMORES MALIGNOS

Existen tumores benignos (que no revisten gravedad) y tumores malignos (o cancerosos). Una forma de conocer la gravedad de los tumores es realizando una exéresis y analizándolos. Las punciones parciales de tumores no suelen realizarse en los perros, ya que requieren anestesia general y, de este modo, se aprovecha para extirparlos totalmente.

LOS TUMORES MAMARIOS

Los tumores mamarios de las perras son los más frecuentes. Se tienen que extirpar, aunque sean muy pequeños, para analizarlos. Antes habrá que realizar una radiografía de los pulmones para saber si se han formado metástasis (tumores resultantes del primer tumor), lo cual nos indicará muy mal pronóstico.

LAS TERAPIAS

Muchos órganos pueden verse afectados por este mal. El animal que padece cáncer se deteriora poco a poco. No obstante, es importante saber que se han realizado enormes progresos en las técnicas médicas de tratamiento.

En los perros también es posible aplicar un tratamiento a base de quimioterapia, aunque los animales la soportan mal.

Inspeccionando asiduamente al perro, podrán detectarse los tumores externos en un estadio incipiente.

Una atención diaria

Los órganos envejecen con el tiempo, con las consiguientes

repercusiones en el plano físico. Los cuidados regulares permiten mantener en forma al perro anciano.

Merma de las capacidades visual y auditiva

Son los primeros síntomas de envejecimiento en el perro. Los ojos adquieren una tonalidad azulada porque el cristalino se vuelve opaco. Se trata de una catarata. La instilación de un colirio puede frenar la evolución. A veces los ojos tienden a hundirse un poco en las órbitas y están menos humidificados, por falta de lágrima. Por tanto, deberemos limpiarlos periódicamente con una gasa y suero fisiológico.

Las uñas

Las uñas crecen y se hacen cada vez más gruesas, porque las capas queratinosas no caen, y entonces el perro se engancha por todas partes. Deben cortarse con un cortaúñas grande, procurando no dañar los capilares que las irrigan.

Los dolores en la cadera

Son frecuentes en el perro anciano. A menudo son el resultado de un proceso de artrosis, cuyas consecuencias se tratan con antiinflamatorios, pero no la afección en sí misma. En tal caso el perro tiene que caminar todos los días, pero a su ritmo, porque ya no tiene edad para correr detrás de la pelota.

Los cuidados de la espalda

Los dolores en la espalda pueden llegar a impedir que el animal se gire. Por ello, lo llevaremos al veterinario para que nos indique la terapia más adecuada.

Por otra parte, conviene cepillar el lomo del perro cada dos días para eliminar el pelo muerto.

El esfuerzo por hacer que el animal tenga el mejor aspecto posible no será en vano. Nuestro compañero agradecerá nuestro interés por él y le gustará sentirse cuidado. Un animal percibe perfectamente el desagrado que puede inspirar si está descuidado y viejo.

CUIDADOS BÁSICOS DEL PERRO ANCIANO

- **Chequeo completo:**
  — radiografía pulmones y corazón;
  — analítica: controla la NFS (numeración-fórmula sanguínea), es decir la cantidad de glóbulos rojos y de glóbulos blancos y el porcentaje de cada tipo de glóbulos blancos (neutrófilos, basófilos, etc.);
  — electrocardiograma;
  — auscultación;
  — limpieza bucal.

RECORDEMOS

- **Pruebas sin anestesia:**
  — análisis de sangre;
  — electrocardiograma;
  — radiografías;
  — auscultación.

- **Operaciones con anestesia:**
  — limpieza bucal.

Impreso en España por
BIGSA
Manuel Fernández Márquez, s/n
08930 Sant Adrià de Besòs